Catalan

Prod No.:	95089
Date:	12/05/17
Title:	Why Don't Fish Drown
Supplier:	Imago Publishing Ltd

t.p.s:	264 x 190mm (upright)
extent:	96 pages illustrations, captions and integrated text printed 4/4
paper:	120gsm uncoated paper throughout
PLC:	Print in 4 colours (CMYK) from PDF files supplied on 128gsm gloss art paper. All to be matt laminated one-side only
PLC:	Prints 4/0 (CMYK) on 128gsm glossy art paper, grain parallel to the spine and matt lamination on one side only
binding PLC:	Thread sew in 16p sections. 140gsm woodfree endpapers printed 1/1 from pdf supplied + varnish in Pantone 116 U, yellow. First and second lined, square back, cased with PLC over 3mm greyboards. Boards to be cut-flush on 3 sides with exposed edges.

PER QUÈ els PEIXOS no S'OFEGUEN?

i altres preguntes
fonamentals
sobre el
regne animal

PER QUÈ els PEIXOS no S'OFEGUEN?

i altres preguntes
fonamentals
sobre el
regne animal

Escrit per **Anna Claybourne**

Amb il·lustracions originals de **Claire Goble**

Librooks

SUMARI

6 PER COMENÇAR, QUÈ ÉS UN ANIMAL?
Què fa que un animal sigui un animal?

8 QUI TRIA ELS NOMS DELS ANIMALS?
Classificació dels animals

12 D'ON VÉNEN ELS ANIMALS?
Espècies i biodiversitat

16 PER QUÈ ELS HUMANS NO TENIM CUA?
L'evolució

20 ON VAN ANAR A PARAR ELS DINOSAURES?
Extinció i espècies amenaçades

24 PODRIA TORNAR-SE VEGÀ EL MEU GAT?
Cadenes alimentàries i cicle de l'energia

28 PER QUÈ ELS TAURONS TENEN LES DENTS TAN GRANS?
Què mengen els animals

32 PODRIA FER-ME AMIC D'UNA SERP?
El verí

36 PER QUÈ ELS PEIXOS NO S'OFEGUEN?
Els animals aquàtics

40 PER QUÈ ELS ANIMALS NO ES RASPALLEN LES DENTS?
L'empolainament

44 DE QUIN COLOR ÉS UN CAMALEÓ?
El camuflatge

48 ÉS VERITAT QUE ELS RATPENATS SÓN CECS?
La vista

52 PER QUÈ VAN DESPULLATS ELS ANIMALS?
La pell

56 DORMEN MAI ELS MUSSOLS?
La son

60 NO NECESSITEN MAPES ELS ANIMALS?
La migració

64 PER QUÈ FAN CACA ELS ANIMALS?
La caca

68 PER QUÈ CONVIVIM AMB ANIMALS?
La domesticació

72 TENEN MELIC LES SERPS?
L'aparellament i la reproducció

76 QUI VA DECIDIR MUNYIR LES VAQUES?
L'alimentació de les cries

80 PER QUÈ NO PUC VOLAR COM UN OCELL?
El vol

84 QUÈ VOL DIR *BUB-BUB*?
La comunicació

88 S'OBLIDEN MAI DE LES COSES ELS ELEFANTS?
La intel·ligència

92 Glossari

93 Índex alfabètic

94 Llista d'il·lustracions

PER COMENÇAR, QUÈ ÉS UN ANIMAL?

Tots reconeixem un animal quan en veiem un. Però, què distingeix els animals de les plantes i altres coses com les roques i els minerals?

Els animals i les plantes són éssers vius. Es poden moure, créixer i percebre el seu entorn. Però, a diferència de les plantes, que creixen aprofitant la llum del sol, els animals mengen aliments, ja siguin plantes o altres animals. Els animals també es desplacen corrent, volant, nedant o arrossegant-se, mentre que les plantes no es mouen del seu lloc.

Durant milers d'anys, les persones han observat els animals del voltant i s'han plantejat tota mena de preguntes sobre ells. Per què no podem volar com els ocells? Com és que els gats poden veure en la foscor? Quan els animals borden, canten o mugeixen, estan parlant entre ells? Si vols saber les respostes, continua llegint!

Han existit sempre els animals?

Els animals porten vivint al nostre planeta MOLT més temps que els humans. Van aparèixer per primera vegada a la Terra fa més de 500 milions d'anys. Els científics creuen que els animals més antics eren bestioles repugnants semblants als cucs o els insectes que vivien al mar. De mica en mica van anar evolucionant fins a convertir-se en els milions d'animals diferents que podem veure actualment al nostre voltant. .

Aspecte que tindria un fòssil del jaciment dels esquistos de Burgess

Quins tipus d'animals hi ha?

Els animals es poden dividir en dos tipus o grups principals. Els invertebrats són animals que no tenen columna vertebral, com ara els insectes i aranyes, llimacs, pops i meduses. Els vertebrats tenen columna vertebral i normalment també esquelet. Inclouen cinc tipus d'animals principals: peixos, rèptils (serps i cocodrils, per exemple), amfibis (granotes i gripaus, per exemple), aus i mamífers.

Grup de granotes. Artista desconegut, *c.* 1851

Els humans també som animals?

I tant que sí. Els humans tenim columna vertebral, per tant pertanyem al grup dels animals vertebrats. Som mamífers, com molts dels animals amb els quals estem més familiaritzats, per exemple, gossos i gats, cavalls, dofins i elefants. Tanmateix, els nostres parents més propers són els simis: animals com ara els goril·les, els orangutans i els ximpanzés. Fes un cop d'ull a les seves cares, mans i peus, i veuràs com ens assemblem.

Família de micos bonobo

Qui TRIA els NOMS dels ANIMALS?

Si descobreixes un nou tipus d'animal, li pots posar el nom que TU vulguis!

Això no només significa que puguis dir-li Marsupilami, Peludet o Pep (encara que també ho pots fer!). Vol dir que li pots donar a aquest tipus o espècie d'animal el seu **nom científic en llatí**. Així, encara que els zoòlegs d'arreu del món parlin llengües diferents, sempre poden emprar el **nom en llatí** per estar segurs que parlen del mateix animal.

HOMO SAPIENS

Beyonce

↑
OBSERVA
l'increïble
pompis daurat
d'aquesta mosca

Cada espècie rep un **nom únic**, format per dues paraules. Els noms s'escriuen en llatí, una **llengua antiga** que ja no es parla.

De vegades els animals reben el nom de la **persona que els va descobrir** o d'algú famós. Per exemple, l'any 2011, una espècie de mosca va ser batejada com a *Scaptia beyonceae* en honor a la cantant Beyoncé.

Mosca *Scaptia beyonceae*

Els animals es poden classificar en famílies estretament relacionades, com els felins, per exemple. Els tigres, els lleons, els guepards i els gats formen part d'aquesta família i, si bé tenen mides molt diferents, són tots similars.

Però, sabies que en realitat TOTS els animals estan relacionats? Potser els ximpanzés i els goril·les són els nostres cosins germans, però els gats, els cocodrils, els estruços, les llagostes i les paneroles també són parents nostres. Els científics creuen que tots vam evolucionar o ens vam desenvolupar amb el temps a partir de la primera forma de vida simple, o sigui que bàsicament tots som una mateixa família.

Festa del te amb erminis. Plocquet i Guttart. 1851

COM ET DIUS?

Els noms llatins poden sonar a xinès, però sovint es trien per descriure les característiques de l'animal. El nom científic de la balena geperuda és *Megaptera novaeangliae*, que literalment significa «Grans ales de Nova Anglaterra». Les seves «ales» són les enormes aletes, que utilitza per lliscar pel mar com si estigués volant. I què me'n dius de l'*Ailuropoda melanoleuca*? Significa «Peu de gat, negre i blanc» i es tracta del panda gegant. I saps qui és l'*Homo sapiens*? Doncs ets tu! Significa «humà que sap» o «humà intel·ligent».

Panda gegant fent llengotes

EL GRAN DESCONEGUT

Ja coneixem milers d'espècies animals, però els científics en continuen trobant de noves cada dia. Acostumen a ser animals petits, com ara escarabats i cucs, però de tant en tant en troben algun de més gran, com el tapir nan o pigmeu, descobert el 2013.

Abans d'anunciar el seu descobriment, els científics han d'estudiar l'animal minuciosament per estar segurs que realment és una espècie nova i desconeguda.

El tapir nan o pigmeu, descobert recentment

D'on VÉNEN els ANIMALS?

Si la vida va començar amb un sol tipus d'ésser viu, com és que ara n'hi ha milions?

El motiu és **l'evolució**, la manera com els éssers vius van **canviant amb el temps**. A mesura que els animals es desplacen, s'amplia el seu territori i comencen a viure en diferents llocs o hàbitats. Tots els animals són lleugerament diferents, fins i tot dins de la mateixa espècie. Aquells que s'adapten millor a un hàbitat concret són els que hi sobreviuen més temps. Tenen més cries i els transmeten les seves característiques. D'aquesta manera, a poc a poc, les espècies es tornen **més aptes per als seus hàbitats** i es diferencien cada vegada més les unes de les altres.

VEJAM
si trobes el llangardaix

Per això al mar hi ha taurons molt ràpids amb aletes, bràncquies i forma de torpede, mentre que a la selva hi pots trobar micos amb les mans i les cues prènsils per agafar-se a les branques. I, encara que **sigui gradualment**, els animals continuen evolucionant i canviant en l'actualitat. Per exemple, els científics han descobert que alguns tipus de rates estan evolucionant per tornar-se immunes als raticides.

Llangardaix camuflat

Per què els humans no tenim cua?

Vés a la pàgina 16

PER QUÈ NECESSITEM ELS ANIMALS?

El món amb les seves plantes, animals, humans i altres éssers vius formen un ecosistema. Això vol dir que treballen plegats com un tot. Cada ésser viu forneix d'aliments els altres i ajuda a equilibrar el sistema.

Els insectes, per exemple, escampen el pol·len entre les plantes perquè donin llavors i fruits. Els cucs graten la terra perquè se separi i afavoreixi el creixement dels conreus. Els animals que cacen com els ratpenats contribueixen a reduir el nombre d'animals perjudicials, com ara els mosquits. Si els animals no existissin, ho tindríem molt pelut!

Abelles obreres dins del seu rusc

PER QUÈ SERVEIXEN ELS MOSQUITS?

Per als humans, els mosquits són una murga. Ens fan mal amb les seves picades i transmeten malalties mortals com la malària. Però els animals no existeixen per ser útils. Senzillament existeixen perquè han trobat una manera de sobreviure i continuar existint.

Si té on viure i aliments per menjar, una espècie pot evolucionar per ocupar aquest «nínxol» o lloc en l'ecosistema. En el cas dels mosquits, això vol dir viure en indrets on hi ha molta presència humana i de vegades aprofitar-se de la nostra sang. Ai!

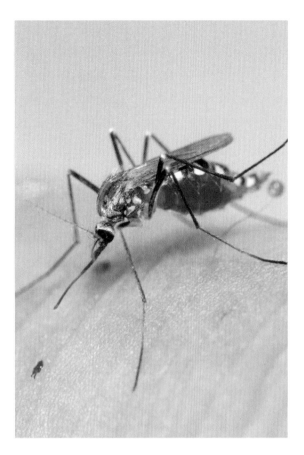

Mosquit de la febre groga picant un humà

INSECTES AL PODER

Fins ara, hem descobert aproximadament 1,2 milions d'espècies animals, i prop del 80% són insectes. Els insectes són uns autèntics genis quan es tracta de sobreviure en tota mena de llocs i poblar qualsevol indret de la Terra. Però, com s'ho fan?

Com que són petits, els insectes no necessiten gaire menjar. La majoria d'insectes volen i molts poden mossegar i picar, i això els ajuda a escapar del perill. Diversos tipus d'insectes, com ara les formigues i les abelles, viuen en colònies grans i tenen cura les unes de les altres. Per tot plegat, podem dir que els insectes són els grans supervivents del món animal.

Erugues i arnes. Artista desconegut. c. 1850

15

Per què els HUMANS no tenim CUA?

Els gats, les rates i els micos tenen cua, per què TU no en tens?

En realitat, els humans sí que tenim cua! Normalment no es veu, però si observem un esquelet humà, veurem una petita part amb forma de cua al final de la columna vertebral. S'anomena còccix. Si no podem fer servir el nostre **còccix**, llavors per què el tenim? Doncs el tenim perquè els **humans vam evolucionar** a partir d'animals que sí que tenien cua.

Al llarg de moltes generacions i milions d'anys, les espècies animals evolucionen o **canvien molt lentament.**

QUÈ faries amb la cua si en tinguessis?

Els humans vam evolucionar a partir de criatures semblants als micos, que vivien als arbres i grimpaven amb l'ajuda de la cua. Quan els nostres avantpassats van començar a caminar i van deixar de necessitar la cua per agafar-se a les branques, a poc a poc es va anar tornant més petita. El còccix humà és un **«vestigi»** que ja no necessitem.

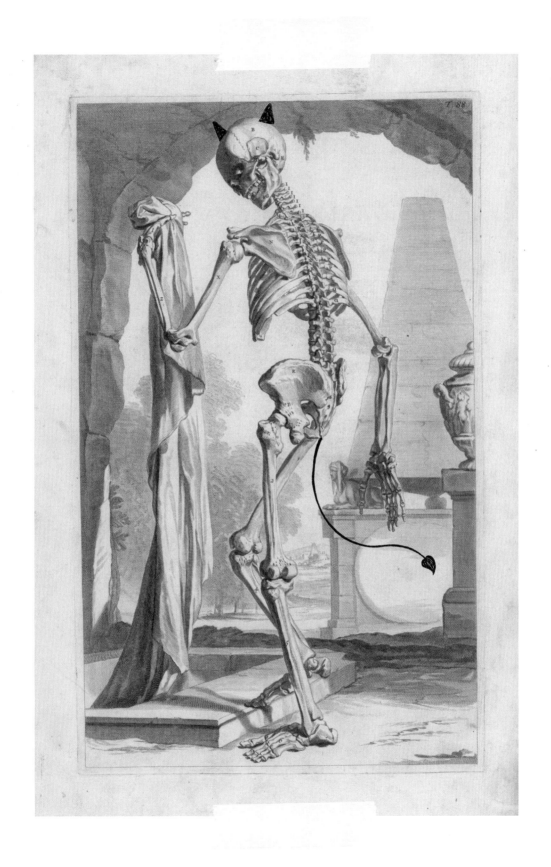

Model d'un esquelet. Pieter van Gunst, segons Gerard de Lairesse, 1685

GERMÀ D'UNA ALTRA MARE →

Aquests dos animals semblen idèntics, però pertanyen a famílies completament diferents. L'esquirol volador d'Amèrica meridional, procedent d'Amèrica del Nord, està emparentat amb les rates. El petaure del sucre, d'Austràlia, està emparentat amb els cangurs. Com és que s'assemblen tant doncs?

Quan els animals evolucionen, canvien per adaptar-se al seu entorn. Aquests dos animals viuen a les copes dels arbres i han desenvolupat l'habilitat de planejar entre elles tot desplegant la pell que tenen sota el cos. I tatxan-tatxan!... són pràcticament idèntics!

Esquirol volador (a dalt), petaure del sucre (a sota)

Les girafes van evolucionar a partir d'animals semblants al cérvol amb coll curt. Les primeres girafes havien de menjar les fulles dels arbres, i les que tenien el coll més llarg podien arreplegar més menjar. Així van començar a gaudir d'una millor salut, a viure més temps i a tenir més cries. Quan els animals tenen cries, els transmeten les seves característiques. D'aquesta manera van néixer girafes amb el coll més llarg. De mica en mica, les girafes van evolucionar fins a tenir un coll **10** vegades més llarg que el dels seus avantpassats.

Girafa. Artista desconegut. *c.* 1850

COM UNA ABELLA
DE FLOR EN FLOR

Quan les abelles van de flor en flor, recullen el pol·len que fan servir d'aliment per a les larves d'abella. El pol·len s'enganxa al seu cos i l'espolsen a la flor següent. Si la flor és de la mateixa espècie, pot emprar el pol·len per produir llavors que es convertiran en noves plantes.

Amb el temps, les flors han fabricat més quantitat de pol·len per atraure les abelles, i les abelles han desenvolupat cossos peluts perquè el pol·len s'hi enganxi més fàcilment. Les flors i les abelles han evolucionat juntes per ajudar-se mútuament a sobreviure.

Borinot recollint pol·len enganxós d'una flor

On van anar A PARAR els DINOSAURES?

Els dinosaures eren animals INCREÏBLES, sovint enormes, que van viure en l'època prehistòrica.

Seria fantàstic si avui dia encara poguéssim veure dinosaures passejant, però malauradament no podem. La raó és que fa uns 66 milions d'anys que van desaparèixer i es van **extingir**. Quan un animal s'ha extingit significa que l'espècie ja no existeix.

QUÈ creus que menjaria aquest dinosaure per dinar?

Els científics creuen que els dinosaures van desaparèixer per l'impacte d'un enorme **asteroide** contra la Terra que, segons sembla, va cobrir el cel de cendra i pols durant molt de temps, tot bloquejant la llum del sol i dificultant el creixement de les plantes. Els grans dinosaures herbívors van morir de gana, i també els dinosaures carnívors que s'alimentaven d'ells.

Però els dinosaures no són els únics animals que s'han extingit. Moltes altres espècies van desaparèixer al mateix temps, i de fet una espècie pot extingir-se en qualsevol moment si perd la seva **font d'alimentació** o **l'hàbitat** que necessita per viure.

Diplodoc

Sabem moltes coses sobre els dinosaures, encara que no n'hàgim vist mai cap, gràcies als fòssils. Un fòssil és una forma o empremta d'un ésser viu, conservada a la roca.

Els fòssils es formen després de la mort d'un animal. Les parts toves del seu cos es descomponen, però les parts més dures (com els ossos i els becs) duren més. De vegades, queden cobertes de fang, sorra o sediment, que a poc a poc es van compactant i es converteixen en pedra dura. A l'interior, els ossos es van trencant lentament i són substituïts per minerals amb la mateixa forma.

Fòssil d'ammonit

QUÈ ENS DIUEN ELS FÒSSILS

DARRERA OPORTUNITAT

Moltes de les espècies animals que viuen actualment, com aquest tigre, estan amenaçades, és a dir, estan en perill de desaparèixer i extingir-se. Sovint és per culpa del que han fet els humans, com ara talar boscos per convertir-los en terres conreables o caçar animals per aprofitar la seva pell i altres parts del cos.

Per intentar reduir aquests problemes, creem reserves naturals, limitem la contaminació i aprovem lleis que prohibeixen la caça d'animals amenaçats.

Tigre de Sumatra

S'EXTINGIRAN ELS HUMANS?

Bona pregunta! Doncs no ho sabem, però el passat ens pot donar algunes pistes. Si observem les espècies que han existit abans, els mamífers com nosaltres acostumen a viure entre 1 i 10 milions d'anys abans d'extingir-se. Les criatures semblants als humans existeixen des de fa 2 milions d'anys, o sigui que, amb una mica de sort, encara ens queden molts anys a la Terra, si bé és probable que a la llarga desapareguem. D'altra banda, som bastant intel·ligents i potser trobarem la manera d'evitar-ho!

Reproducció d'un Neandertal

23

PODRIA tornar-se VEGÀ EL MEU GAT?

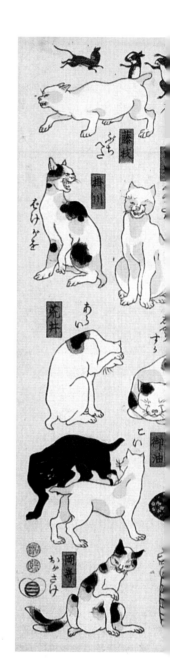

Els humans som els únics animals que triem el tipus d'aliments que mengem.

La majoria segueixen els seus instints. Segurament quan veus una arna atrapada en una teranyina a punt de servir de berenar d'una aranya et fa pena, però tots els animals han de menjar. Alguns, anomenats **herbívors**, s'alimenten de plantes, i altres, anomenats **carnívors**, mengen carn, és a dir, altres animals. La majoria d'humans som **omnívors**, i això vol dir que mengem plantes i animals (llevat que siguem vegetarians, és clar).

QUIN gat s'ha passat de la ratlla?

Gats que representen les cinquanta-tres estacions de Tōkaidō. Utagawa Kuniyoshi, 1850

Cada espècie animal ha evolucionat per menjar un tipus d'aliment particular, i té característiques que ho faciliten. Per exemple, les aranyes teixeixen teranyines **instintivament** i tenen una potent mossegada que els permet matar la seva presa. Els gats tenen un instint per caçar i abraonar-se sobre animals petits i esmunyedissos, i atrapar-los amb les seves urpes i dents afilades. Un elefant, per la seva banda, té unes dents grans i planes per mastegar fulles, branques i fruites, el seu menjar preferit.

Per què fan caca els animals? Vés a la pàgina 64

25

UNA MORT ÚTIL

Ben mirat, els animals fa 500 milions d'anys que s'estan morint, des que van començar a existir. Llavors, què se n'ha fet? A hores d'ara ja haurien d'estar amuntegats per tot arreu!

Per sort això no passa, perquè quan un animal es mor, el seu cos es descompon i és utilitzat com a aliment per altres organismes vius, com ara formigues i mosques, bacteris, floridura i fongs. El que queda es podreix a la terra i ajuda les plantes a créixer. Així doncs, l'energia de l'animal mort torna a l'inici del cicle vital i s'aprofita de nou.

Garlanda de fruites i flors.
Jan Davidsz de Heem.
1660-1670

A TAULA!

A mesura que les plantes creixen, absorbeixen energia en forma de llum solar i emmagatzemen energia química (les calories emmagatzemades en la matèria vegetal). Quan un animal es menja les plantes, l'energia passa al cos d'aquest animal, el qual l'utilitza per fer coses com ara moure's i respirar. Si un altre animal se'l menja, llavors l'energia es transferirà a ell. La seqüència dels éssers vius que es mengen entre ells s'anomena cadena alimentària. L'energia es mou i flueix a través de la cadena alimentària. És el cicle de la vida!

La cadena alimentària

L'ARBRE DE LA VIDA

Si les plantes deixessin d'existir, els animals que en depenen per alimentar-se també desapareixerien. I els animals carnívors també estarien en perill, ja que s'alimenten d'animals que mengen plantes. De fet, les plantes són, en gran mesura, la base de la vida a la Terra. I el motiu és que, en lloc de menjar, les plantes aprofiten l'energia lumínica del sol per créixer. Així es crea la matèria vegetal, com ara fulles, flors, fruits, grans i llavors, de la qual viuen els animals. Si no fos per les plantes, no sé pas com ens ho faríem!

Erugues menjant-se una fulla

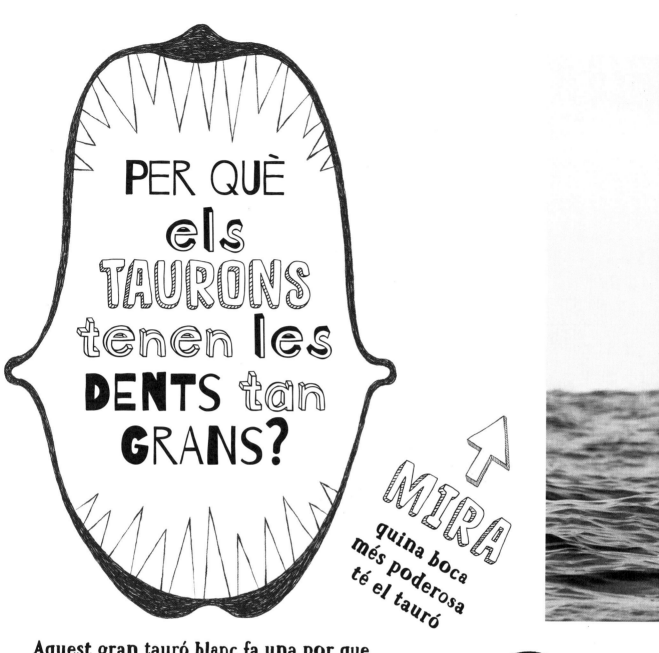

PER QUÈ els TAURONS tenen les DENTS tan GRANS?

MIRA
quina boca
més poderosa
té el tauró

Aquest gran tauró blanc fa una por que espanta, sobretot per les seves fileres d'ENORMES dents esmolades com ganivets.

Tots els taurons són **depredadors**, és a dir, s'alimenten d'altres animals. Als animals que es mengen se'ls anomena **preses**. Els depredadors han de caçar i agafar els seus aliments, per això els seus cossos estan dotats d'**eines** per atrapar i matar el seu següent àpat. Poden ser unes dents grans, unes mandíbules poderoses o unes urpes esmolades. En el cas dels taurons, les dents són una part especialment important.

El tauró **no té urpes** o pinces **enormes** per subjectar els esmunyedissos peixos o les belluguedisses foques, per això utilitza les **dents**. Les dents del tauró s'enfonsen en la seva presa i impedeixen que s'escapi. Després el tauró pot devorar-la i engolir-la de seguida.

No tots els taurons tenen les dents grans. Un tauró balena no necessita mossegar la seva presa. Es mou lentament per l'aigua i va capturant petites criatures que es filtren a través de les seves brànquies semblants a un colador.

Gran tauró blanc caçant una foca

Per què els animals no es raspallen les dents?
Vés a la pàgina 40

ELS CONILLS TENEN VISIÓ PANORÁMICA

Si observem a un depredador, com el tigre, veurem que els seus ulls miren cap endavant. Però sovint els animals de presa, com els conills, tenen els ulls als dos costats del cap. Els seus ulls apunten cap a diferents direccions i això els proporciona un camp de visió molt ampli. Un conill pot veure de cara, lateralment i fins i tot una mica cap enrere, i d'aquesta manera pot detectar els depredadors que s'acosten. Per això és tan difícil acostar-se a un conill salvatge sense que surti corrent i s'amagui.

Visió des dels ulls d'un conill

UN ÀPAT PUTREFACTE

Els voltors són carronyaires, que vol dir que s'alimenten de restes de menjar en descomposició. Un voltor és capaç d'olorar el cos putrefacte d'un animal mort a 2 km de distància. Si nosaltres mengéssim aliments en mal estat, patiríem una terrible intoxicació alimentària, però l'estómac d'un voltor està ple d'un àcid fort que mata la majoria de gèrmens perillosos de la carn podrida.

Voltor dorsiblanc carronyaire

Hi ha un pilot de depredadors magnífics allà fora, com ara cocodrils, lleons i serps constrictores gegants, però a molt pocs sembla que els agradi el gust dels humans. De tant en tant, un animal es menja una persona, però és molt poc freqüent i segurament ni tan sols ho fa a posta. Per exemple, els taurons de vegades ataquen els surfistes, però els experts creuen que ho fan perquè confonen la forma de la planxa de surf amb una deliciosa foca.

QUIN GUST TENEN ELS HUMANS?

No obstant això, hi ha un lloc al món on els humans són una vianda exquisida. Als Sundarbans, una zona de l'Índia i Bangladesh, els tigres tenen el costum d'intentar caçar els humans per menjar-se'ls. Ningú no sap per què ho fan, ja que els tigres d'altres llocs del món no semblen gaire interessats a menjar humans.

Tigre Tipu. Piano esculpit de l'Índia. *c.* 1793

Podria FER-ME AMIC d'una SERP?

Home, podries abraçar una cobra si la tinguessis prou a prop, però no t'ho recomanem gens ni mica.

La **mossegada** d'una cobra, com la de moltes altres serps, és **mortal**. Els seus dos ullals frontals, grans i esmolats, són buits, com agulles, i estan connectats a dos sacs o bossetes que contenen un potent **verí** a ambdós costats del cap.

UI! Quin amic més malcarat!

Una cobra pot atacar de sobte. Mossega
ràpidament, enfonsa les seves dents en
la víctima i li injecta el verí. Si no reps
assistència mèdica de seguida, el verí et
pot impedir respirar i pot resultar mortal en
menys d'una hora.

Les serps verinoses utilitzen el seu verí
per matar o **paralitzar la presa** que es volen
cruspir. També mosseguen per defensar-se
de qualsevol altre animal que suposi una
amenaça, inclosos els humans. En algunes
parts del món, milers de persones moren
cada any per mossegades de serp.

Escurçó dels Grans Llacs en ple atac

Són
llefiscoses
les serps?
Vés a la pàgina 54

33

LA PITJOR PICADA DEL MÓN

Quin és l'animal més letal del planeta? La majoria d'experts coincideixen que la palma se l'emporta la vespa marina, una medusa petita i gairebé transparent que viu a les càlides aigües de l'oceà d'Austràlia i el Sud-est Asiàtic. Quan la vespa marina pica, els seus tentacles s'enganxen a la víctima i li van injectant més i més verí. El seu verí és tan potent que pot matar un ésser humà en només uns minuts. Malgrat tot, algunes víctimes sobreviuen si arriben de seguida a l'hospital.

Una vespa marina i un submarinista amb guants de protecció

TOCAT I ENFONSAT

Un altre animal que més val que no abracis és el porc espí. Està cobert de punxes superesmolades amb crins orientades cap enrere a la punta. Si el toques, les punxes es desprenen del porc espí i se't claven a la pell. Els porcs espins utilitzen les seves punxes per defensar-se dels caçadors afamats i carreguen contra ells. Alguns porcs espins sacsegen primer les punxes, que produeixen un so metàl·lic que serveix d'advertència.

Porc espí comú. Artista desconegut, c. 1850

NI TE M'ACOSTIS...

Els animals verinosos, com les serps, injecten una substància verinosa a les seves víctimes. Però hi ha altres animals, com aquesta granota punta de fletxa, que són tòxics més que no pas verinosos. Contenen un agent tòxic que pot matar o ferir altres animals si se'ls intenten menjar. La granota punta de fletxa té un verí superletal a la seva pell. De fet, és TAN tòxic que només tocar-la pots posar-te molt malalt o fins i tot morir. Tal com ho sents!

Granota punta de fletxa

PER QUÈ els PEIXOS no S'OFEGUEN?

Si provessis de respirar sota l'aigua, seria una catàstrofe!

Per què? Doncs perquè els humans, com altres mamífers, necessitem **respirar aire**. Tots els animals necessiten **oxigen**, que es troba a l'aire i a l'aigua. Però els nostres **pulmons** només poden obtenir oxigen de l'aire. Dins de l'aigua, no funcionen. En canvi, un peix es pot passar la vida sota l'aigua i aconseguir tot l'oxigen que necessita. En lloc de pulmons, els peixos utilitzen les **brànquies** per respirar. Quan l'aigua passa per les brànquies, aquestes n'extreuen l'oxigen.

Per què els peixos no tenen parpelles?
Vés a la pàgina 51

L'aigua està parcialment formada per oxigen, però no és l'oxigen que aspiren els peixos. Ells fan servir un oxigen diferent que es **dissol** i es barreja amb l'aigua.

Però de vegades els peixos també es poden ofegar. Si no hi ha prou oxigen a l'aigua, els peixos s'asfixien i es moren. I passa el mateix si un peix es treu de l'aigua, excepte en el cas d'algunes espècies, com els peixos pulmonats i els saltadors del fang, que poden respirar dins i fora de l'aigua.

Saltador del fang agafant aire

IMAGINA'T que poguessis respirar dins de l'aigua!

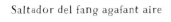

CAMPIÓ D'APNEA

Les balenes s'han de submergir fins al fons del mar per buscar menjar, i això vol dir que han de ser molt bones aguantant la respiració. I efectivament ho són! Una balena geperuda, per exemple, pot romandre sota l'aigua durant 40 minuts i una balena blava fins i tot més d'una hora. Tanmateix, la campiona mundial és la balena amb bec de Cuvier, que busseja a gran profunditat i va aconseguir un rècord d'immersió de 137 minuts sense sortir a agafar aire, és a dir, 2 hores i 17 minuts!

Balena amb bec de Cuvier

De vegades sembla que els dofins i les balenes treguin aigua pel cap, però no és això el que passa exactament. Aquests animals són mamífers, i no poden respirar sota l'aigua. Necessiten respirar aire i, per fer-ho més fàcil, respiren a través d'un orifici que tenen a la part superior del cap, anomenat espiracle. Quan una balena blava surt a la superfície respira molt de pressa i expulsa aigua per l'espiracle en forma de raig cap enlaire. Quan un dofí respira, el vapor d'aigua també es pot condensar si l'aire és fred i oferir un aspecte fumejant. Vist des de lluny, sembla una font!

UN SORTIDOR AL CAP

Balena. Artista desconegut. *c.* 1850

PELL PERMEABLE A L'OXIGEN

Els amfibis, com les granotes i els gripaus, són animals estranys. Quan són capgrossos, tenen brànquies, com els peixos, i respiren sota l'aigua. D'adults, la majoria d'amfibis perden les brànquies i desenvolupen pulmons, de manera que poden respirar tant dins com fora de l'aigua. El seu secret és que absorbeixen l'oxigen de l'aigua a través de la pell. Tota la pell d'una granota, per exemple, és com una gran brànquia que pot absorbir l'oxigen de l'aigua que té al voltant.

Granota bramadora. Artista desconegut. *c.* 1850

Per què ELS ANIMALS no es RASPALLEN LES DENTS?

Ho deus haver sentit milions de vegades: si no et raspalles bé les dents, et sortiran càries i et cauran.

Però segur que no has vist mai cap animal raspallar-se les dents! Llavors, per què no tenen tots càries? En realitat hi ha diversos motius.

Per començar, la majoria d'animals no tenen una **dieta** perjudicial per a les dents com la nostra. Els conills o els tigres només mengen plantes o carn crua, no **aliments ensucrats**, com els dònuts o les begudes gasoses, que tant agraden als bacteris que provoquen càries.

Les rates i altres rosegadors tenen unes dents que, tot i que es desgasten, **no paren de créixer** mai, i per això no envelleixen ni es podreixen. Als taurons els cauen les dents cada poques setmanes i són **substituïdes** per unes altres de noves. I alguns animals es netegen les dents, encara que no fan servir raspall. Els hipopòtams obren la boca de bat a bat quan són sota l'aigua perquè els peixos atrapin la brutícia i les cuques que tenen entre les dents. D'aquesta manera els peixos obtenen menjar i els hipopòtams una neteja bucal.

I, és clar, hi ha alguns animals que ni tan sols tenen dents. Les abelles i les papallones succionen el nèctar més dolç de les flors amb les seves boques en forma de trompa. Com que no tenen dents, no poden tenir càries!

Hipopòtam envoltat de peixos netejadors

T'AGRADARIA que un peix et netegés les dents?

41

FORA LES MALES PUCES!

Al zoo podem veure els micos o ximpanzés asseguts traient-se coses del pèl els uns als altres, i sovint fins i tot se les mengen. Però, per què ho fan?

Aquest comportament s'anomena empolainament mutu. Els micos i els simis viuen en grups i es netegen mútuament per treure's puces, polls i brutícia del pèl allà on no poden arribar ells mateixos. També és una bona manera d'establir vincles o mostrar a l'altre afecte i amistat. Els humans fem el mateix quan ens abracem, xerrem o riem junts.

Mico empolainant un home

SUEN ELS ANIMALS?

Els humans suem per tot el cos per ajudar a abaixar la temperatura, però la majoria d'animals no són tan propensos a suar com nosaltres. Pot ser que tinguin algunes glàndules sudorípares. Per exemple, els simis tenen sudoració a les aixelles, i els gossos i els gats suen a través de les potes perquè estiguin una mica més humides i s'agafin millor, però gairebé cap animal sua per tot el cos. Tanmateix, els cavalls són una excepció. Quan corren molt ràpid, poden quedar amarats de suor. La suor dels cavalls conté una substància similar al sabó que de vegades fa que sembli escuma.

El cavall en moviment. Eadweard Muybridge. c. 1880

Els gats es netegen sols llepant-se, i això inclou el cul! Llepar-se és l'única manera que tenen de mantenir el pèl, les potes i el cul nets. No resulta gaire agradable quan el teu gat s'asseu i comença a fer-ho davant de tota la família o, encara pitjor, de les visites. Però per a un gat és saludable i normal. Els felins salvatges, com els lleons i els lleopards, també ho fan. I ni tan sols es posen malalts! Com que mengen carn crua, els seus cossos estan ben preparats per fer front als gèrmens.

Gat llepant-se

PER QUÈ EL MEU GAT ES LLEPA EL CUL?

De quin COLOR és un CAMALEÓ?

Els camaleons són famosos per la seva habilitat per canviar de color, i moltes persones creuen que ho fan per camuflar-se i confondre's amb l'entorn. En realitat, no és exactament així.

Els camaleons poden canviar de color. Tenen unes cèl·lules cutànies especials que contenen **cristalls** minúsculs. Quan s'alteren els patrons i posicions dels cristalls, poden fer que la seva pell reflecteixi diferents longituds d'onda de **llum** i produeixi diferents colors.

J tf xsiqegn. Q'h ntm hicyx, Ypu cenbqt swRwt? Dmu'v lzxk, Tyfs ih ndt le, rafhk j owiqyz. E gm pnvis Ybke!

Malgrat tot, triguen uns minuts a canviar, no ho poden fer a l'instant. I normalment canvien de color per **enviar missatges**, no pas per mimetitzar-se. Els camaleons mascles utilitzen uns colors groc o vermell molt vius per **presumir** davant de les femelles i mantenir allunyats els altres mascles. Un camaleó també pot tornar-se més fosc si té fred, ja que les superfícies més fosques absorbeixen més energia tèrmica del seu entorn, cosa que ajuda el camaleó a escalfar-se.

En canvi, quan estan relaxats, molts camaleons són de **color verdós** i això els permet camuflar-se bé en entorns frondosos.

Camaleons comuns

FIXA'T
en aquesta explosió de color

Poden enviar missatges els animals?
Vés a la pàgina 86

VIST I NO VIST

Existeix un animal que sí que pot canviar de color en dècimes de segon per confondre's amb el seu entorn. I no només això, també pot canviar de forma i textura, de llis a rugós, punxant o bonyegut. És el pop! Els pops tenen MOLTA més traça per camuflar-se ràpidament que els camaleons. Són tan bons amagant-se que pot resultar impossible detectar un pop que s'ha mimetitzat amb un escull de corall o un llit marí ple de plantes. Existeix una espècie, el pop mimètic, que fins i tot es pot disfressar d'animals totalment diferents, com ara peixos o serps marines.

Octopus cyanea abans i després del camuflatge

COSSOS INVISIBLES

Amb un bon camuflatge, un animal por confondre's amb l'entorn. Però, i si poguessis ser realment invisible i totalment transparent? No hi ha cap animal terrestre que ho pugui fer, però dins de l'aigua algunes criatures són gairebé invisibles, com alguns tipus de plàncton i meduses. No tenen ossos ni closca, i els seus cossos estan formats per una gelatina blavosa i transparent, que és principalment aigua. Per aquest motiu poden refractar la llum de la mateixa manera que l'aigua, o sigui que és molt difícil veure'ls.

Granota de vidre vista des de sota

QUÈ ÉS MARRÓ I ENGANXÓS?

Insecte bastó que es pot mimetitzar amb les fulles

Els insectes bastó no canvien de color, però son tan bons camuflant-se que realment semblen bastons, branquetes o tiges de plantes. Podries estar mirant uns quants insectes bastó posats sobre una planta i no series capaç de trobar-los. L'evolució (vegeu la pàgina 16) ajuda els animals a desenvolupar aquest tipus de camuflatge tan espectacular. Els insectes bastó més semblants als bastons són els que sobreviuen millor, perquè és més difícil que els depredadors els detectin. Amb el temps, totes les espècies es van assemblant cada vegada més a un bastó, fins que la coincidència és perfecta.

47

ÉS VERITAT que els RATPENATS són CECS?

Segur que has sentit a dir que els ratpenats són cecs, però... és veritat? Al capdavall, se'n surten prou bé per orientar-se en la foscor.

El cas és que tots els ratpenats tenen ulls i poden veure-hi. De fet, algunes espècies, com ara els grans ratpenats frugívors coneguts com a guineus voladores, tenen una **vista excel·lent**, molt millor que la dels humans.

PODRIES guiar-te només amb l'oïda per trobar menjar?

Tanmateix, molts tipus de ratpenats més petits surten de nit per caçar insectes voladors, i per fer-ho no els cal la vista. En lloc d'això recorren a l'**ecolocalització**, una manera de calcular on es troben les coses per mitjà del so. Quan vola, un ratpenat produeix xisclets molt aguts i el so rebota contra els objectes que hi ha al voltant. El ratpenat **escolta** els ecos amb les seves orelles supersensibles. A partir d'aquests sons, el ratpenat pot endevinar on són els objectes, com arbres i parets, i detectar formes, textures i moviments. Fins i tot por fer servir l'ecolocalització per perseguir i atrapar les seves preses, com les arnes, mentre volen.

Ratpenat de ferradura gran perseguint una arna

Dormen mai els mussols?

Vés a la pàgina 56

VISIÓ NOCTURNA

Els gats i altres animals, entre ells els cocodrils, els llops i els lleons marins, tenen un teixit a la part posterior dels ulls anomenat *tapetum lucidum* (que significa «tapís lluminós»). És una mena de mirall brillant situat darrere de la retina, la capa de cèl·lules que hi ha al fons de l'ull i que detecta la llum. La llum passa a través de la retina, impacta contra el *tapetum* i rebota novament cap a la retina, la qual cosa permet que les cèl·lules de la retina percebin la mateixa llum una segona vegada. Això ajuda els animals a veure-hi millor de nit o en aigües profundes i fosques.

Jaguar de nit

OBRE EL TERCER ULL

Nosaltres tenim dos ulls, molts insectes tenen cinc ulls i la majoria d'aranyes en tenen vuit. Però tenir tres ulls és força inusual. Un animal que els té és el tuatara, un rèptil procedent de Nova Zelanda. A més dels dos ulls normals, té un tercer ull «parietal» damunt del cap. Alguns llangardaixos, granotes i peixos també el tenen. Els ulls parietals estan coberts de pell, però poden detectar la llum i la foscor. Un altre animal amb tres ulls és el diminut triops, que s'assembla a una gamba. El seu nom significa «tres ulls».

Tuatara

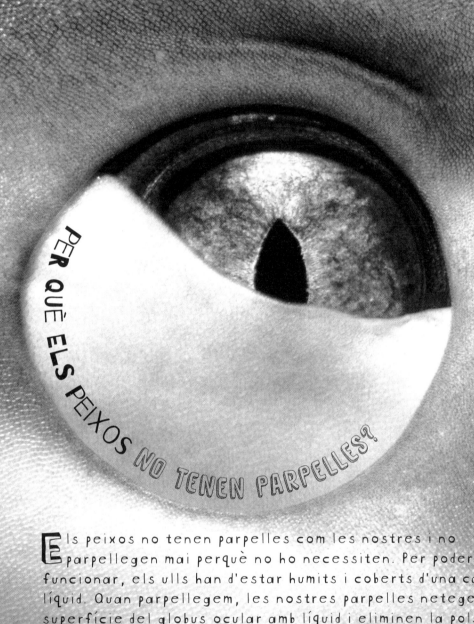

PER QUÈ ELS PEIXOS NO TENEN PARPELLES?

Els peixos no tenen parpelles com les nostres i no parpellegen mai perquè no ho necessiten. Per poder funcionar, els ulls han d'estar humits i coberts d'una capa de líquid. Quan parpellegem, les nostres parpelles netegen la superfície del globus ocular amb líquid i eliminen la pols. Però com que els peixos viuen sota l'aigua, sempre tenen els ulls humits i brillants, per això no necessiten parpelles. Ara bé, els taurons tenen un tipus de parpella especial, anomenada membrana nictitant, que es tanca sobre els ulls del tauró quan ataca per protegir-los dels possibles danys.

Primer pla de la membrana nictitant d'un tauró

PER QUÈ van despullats els ANIMALS?

Una gran diferència entre els humans i la majoria dels altres mamífers és que aquests són MOLT més peluts.

Tots els mamífers tenen **pèl** per tot el cos. La raó principal és que el pèl els ajuda a mantenir l'escalfor, sobretot durant la nit. Els animals de sang freda, per la seva banda, no necessiten conservar l'escalfor. Però a nosaltres sí que ens agrada estar ben calentets, llavors on és el nostre pèl?

HAS vist mai una granota vestida de gala?

Els científics tenen diverses teories sobre per què els humans no som tan peluts com seria d'esperar. Alguns diuen que vam perdre el pèl durant l'evolució per desfer-nos dels molestos polls i puces o per evitar el sobreescalfament. D'altres pensen que ens vam tornar menys peluts per poder nedar millor, i és que els primers éssers humans nedaven i bussejaven a la recerca d'aliments.

Quan els humans van aprendre a construir refugis, fer foc i portar roba, el pèl **va perdre importància**. Però les mascotes com els gossos i els gats continuen tenint pèl, encara que visquin a les nostres acollidores llars!

Granota vestida com un cavaller amb flors,
barret de copa i paraigües. Artista desconegut. c. 1900

BELLA PLOMA BELL OCELL

Les plomes són el que tenen les aus en lloc de pèl. Són exclusives de totes les aus, no en té cap altre animal més que elles. Les plomes tenen funcions diverses i importants. Les plomes suaus i flonges properes a la pell ajuden l'au a mantenir l'escalfor. Les plomes exteriors ofereixen protecció i, en el cas de les aus aquàtiques, una capa impermeable. I les grans plomes de les ales els donen forma i al mateix temps són lleugeres per tal que puguin volar. A més a més, els colors de les plomes serveixen de camuflatge o de senyals llampants per lluir-se davant d'una parella.

Paó de dia. Ohara Koson. 1925-1936

SÓN LLEFISCOSES LES SERPS?

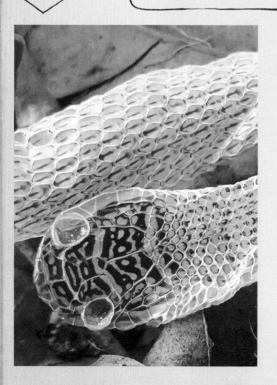

Pell de serp mudada

Si toques una serp, potser et sorprèn notar que la seva pell no és gens humida ni llefiscosa. A diferència d'altres animals que repten, com ara els cucs o els llimacs, la pell d'una serp és suau, seca i de tacte similar al paper. Les serps són rèptils i, com tots els rèptils, estan cobertes d'escates, que són petites làmines o seccions de matèria dura, una mica com les ungles. Les escates protegeixen la serp i l'ajuden a adherir-se al terra quan repta.

Els rinoceronts tenen una o dues banyes al morro, depenent de l'espècie. Segons la creença, les banyes dels rinoceronts tenen propietats màgiques o medicinals, i és per això que sovint se'ls caça. Però, què són realment? Les banyes dels rinoceronts no contenen cap os, com les banyes d'altres animals. I no estan fetes només de pèl compactat, com se solia pensar. Les banyes dels rinoceronts estan fetes de queratina, la mateixa substància que trobem al cabell i a la pell, però és més dura, semblant a la peülla d'una vaca o el bec d'un lloro.

Gravat d'un rinoceront. *Petrus Camper, c. 1750*

DE QUÈ ESTAN FETES LES BANYES?

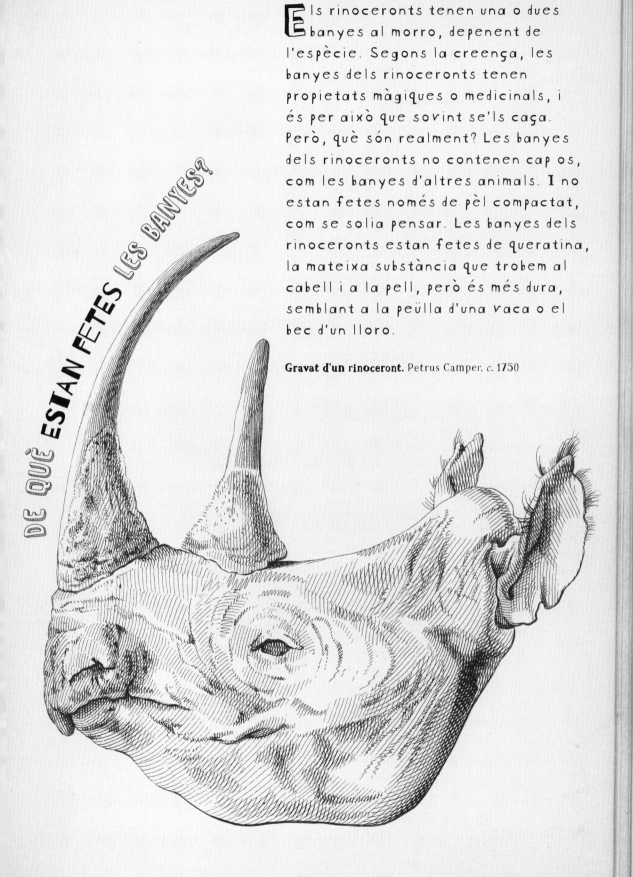

DORMEN MAI els MUSSOLS?

SSST!
Els mussols dormen quan tu estàs despert.

Uuu-uuu, uuu-uuu! Als mussols els agrada estar desperts de nit, caçant i udolant, mentre que la majoria dels altres ocells dormen tranquil·lament als arbres.

Els animals que estan bona part de la nit desperts, com els mussols, s'anomenen animals **nocturns**. La raó per la qual es passen les nits en blanc és ben senzilla: **dormen durant el dia**. Normalment no podem veure els mussols dormint, però sovint s'arrauleixen dins dels forats dels arbres, a les branques més altes o als racons i esquerdes dels edificis. Quan es fa fosc, es desperten i van a buscar menjar.

A alguns animals els resulta molt útil i lògic ser nocturns. Els permet caçar o amagar-se del perill protegits per la foscor. Vol dir que poden buscar aliment quan els animals diürns estan dormint i evitar competir amb ells. I als deserts o llocs tropicals, és una manera excel·lent d'**estalviar-se la calor** del sol.

Mussol dormint al tronc d'un arbre

HIBERNANTS AFAMATS

Moltes espècies animals, inclosos els óssos, mofetes i algunes serps, granotes i llangardaixos, hibernen durant l'hivern. Entren en un estat de letargia i somnolència i passen els mesos d'hivern arrupits en algun indret arrecerat, com un cau, una cova o un tronc buit. Durant aquest temps, pràcticament no mengen res. Poden sobreviure perquè els seus cossos disminueixen el ritme i baixen de temperatura, així doncs no necessiten tanta energia. Alguns fins i tot fan servir les reserves de greix emmagatzemades al cos, que obtenen menjant tot allò que poden a la tardor.

Marietes asiàtiques multicolor, també conegudes com a marietes arlequí

DORMIR I VOLAR, TOT ÉS COMENÇAR!

Els falciots, un tipus d'au petita, es passen la major part de la vida volant. De vegades baixen a terra, però només per niar i tenir pollets. Un falciot pot volar durant mesos seguits, sense parar! Però tots els animals necessiten dormir, així doncs, com s'ho fan? Els científics creuen que els falciots pugen a molta altura i després desconnecten durant una estona, tot planejant suaument mentre dormisquegen. Llavors, quan s'acosten massa al terra, es tornen a despertar.

Falciot comú

UNA BECAINA?

Si tens un gat de mascota, ja deus saber que als gats els encanta fer una becaina, especialment en un lloc còmode i calentet. De fet, un gat es pot passar entre 16 i 20 hores de les 24 que té el dia dormint. En estat salvatge, els gats són caçadors ferotges que han de rastrejar, perseguir i abraonar-se sobre la seva presa. Gasten molta energia i per això quan no estan caçant (o cruspint-se un deliciós plat de menjar per a gats), l'instint natural d'un gat és gandulejar ajagut en algun lloc càlid, per estalviar energia.

Gat dormint. Artista desconegut. *c.* 1650

NO necessiten MAPES els ANIMALS?

Cada tardor, milions de papallones monarca negres i taronges migren del Canadà i el nord dels Estats Units cap a llocs més càlids com els estats del sud i parts de Mèxic.

La **migració** és el desplaçament d'animals d'un indret a un altre quan canvien les estacions, normalment per buscar menjar o temperatures més altes. Les monarques són només una dels milions d'espècies que migren. Però el més extraordinari en aquest cas és que les monarques que volen cap al sud no són les mateixes que van anar cap al nord a la primavera. Durant l'estiu, s'aparellen, ponen ous i es moren, i el mateix fan les seves cries, i les cries de les seves cries.

S'ENSENYEN el camí aquestes papallones?

Les papallones que migren de tornada, són els seus besnéts! I malgrat tot, tornen al mateix lloc on van néixer els seus besavis. Com saben el camí?

Ningú no ho sap del cert. Pot ser que percebin el **camp magnètic** de la Terra, que vegin **punts de referència** en el camí o que olorin el **rastre** que van deixar les papallones quan van volar cap al nord, o potser és una combinació de les tres coses.

Papallones monarca migrant al centre de Mèxic

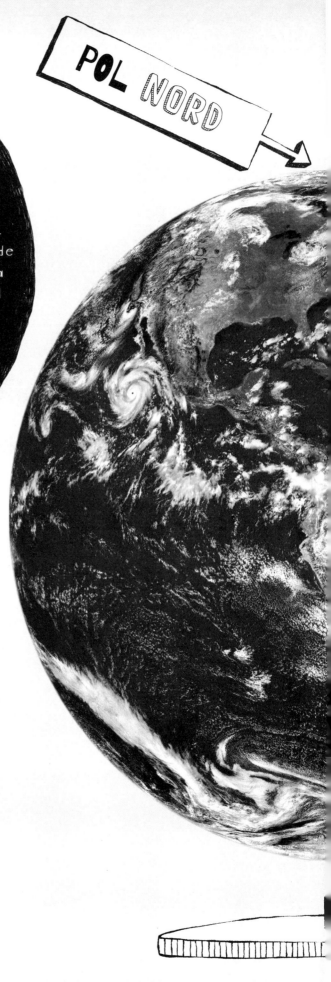

POL NORD

ALIMENTACIÓ I REPRODUCCIÓ

Les tortugues llaüt són uns animals migratoris impressionants. Neden des d'Indonèsia, a una banda de l'oceà Pacífic, fins a Califòrnia, a l'altra punta, per alimentar-se del seu menjar preferit, les meduses. Després tornen per aparellar-se i pondre els ous a les càlides platges tropicals. Un viatge d'anada i tornada de 20.000 km, ni més ni menys!

ES PERDEN MAI ELS ANIMALS?

Els animals migratoris tenen molta traça a l'hora de trobar el camí guiant-se pel sol o per la lluna, els camps magnètics de la Terra o els seus sentits de l'olfacte o la vista. Però no són perfectes, i alguns exemplars es perden durant els llargs viatges. És el cas sobretot dels ocells, ja que poden desviar-se per culpa dels forts vents. De vegades un ocell apareix molt lluny de la seva àrea de distribució habitual, després d'apartar-se de la seva ruta de migració. De fet, quan es perd, una espècie pot acabar establint-se en un indret totalment nou.

RÈCORD MUNDIAL

Les tortugues llaüt poden nedar milers de quilòmetres... però l'animal que migra més lluny de tots és un ocell anomenat xatrac àrtic. Quan és estiu a l'Àrtic, al voltant del Pol Nord, és hivern a l'Antàrtic, al voltant del Pol Sud. Als xatracs àrtics els agrada passar l'estiu a ambdós llocs, i per això cada any volen de l'Àrtic a l'Antàrtic i viceversa, una distància d'uns 20.000 km.

POL SUD

Xatrac àrtic (a dalt)
Fotografia de la Terra des de l'espai.
NASA (centre)
Tortuga llaüt (a sota, a la dreta)

PER QUÈ fan caca ELS ANIMALS?

Tot allò que entra, bé ha de sortir!
Si més no una part...

Quan un animal **ingereix aliments**, el seu cos els trenca en trossets i **n'extreu les substàncies químiques que li són útils**. Però sempre hi ha elements que el cos de l'animal no necessita. **Allò que sobra s'acumula** als intestins (o tub digestiu) de l'animal i es **converteix en caca.** La caca també conté bacteris dels intestins, una mica d'aigua i altres residus generats pel cos de l'animal.

COMPTE!

Caca
voladora!

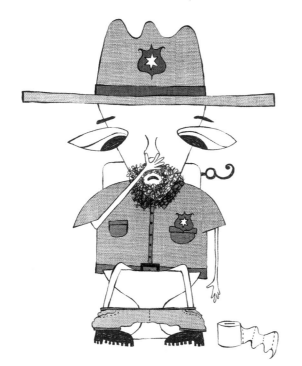

Alguns animals fan servir els seus excrements amb finalitats específiques. Per exemple, els rinoceronts blancs deixen muntanyes de caca al voltant per marcar el seu territori. La femella de griva cerdana llança excrements als depredadors per allunyar-los dels seus ous.

Els humans detestem la **pudor infecta** de la caca perquè conté gèrmens que poden resultar perjudicials si s'introdueixen a les nostres boques. Hem evolucionat perquè la caca ens sembli repugnant, per això ens n'allunyem tant com podem, però alguns animals no li fan tants escarafalls.

Griva cerdana

Suen els animals? Vés a la pàgina 42

UN PILÓ DE CACA

Quan veus una caca de gos o una bonyiga de vaca, normalment estan envoltades de mosques brunzint. Per a les mosques, els excrements són menjar. Si bé els animals se'n desfan com a residus, contenen algunes substàncies químiques útils per a d'altres criatures. A les mosques els agrada el menjar tou i podrit, i xuclen els bacteris i restes de plantes o carn que hi ha a la caca. També hi ponen els ous perquè quan les seves larves (cries) trenquin la closca, tinguin un aliment pudent a punt per menjar. Els escarabats piloters també mengen caca, formen boles d'excrement i les transporten rodolant per alimentar les seves famílies.

Escarabat piloter no volador
fent una bola de fem

UN MOS PUDENT

Es tracta d'un espectacle insòlit que potser has vist al zoo: un goril·la o ximpanzé menjant la seva pròpia caca, com si fos un deliciós plàtan. Sembla fastigós, però de fet molts animals ho fan. Als excrements poden haver-hi quedat vitamines, llavors o altres substàncies que necessiten però que no han pogut digerir la primera vegada. Per això intenten aprofitar i ingerir de nou els darrers trossets de menjar que hi troben.

En estat salvatge, els goril·les es passen bona part del dia menjant. Així doncs, un altre motiu pel qual es mengen la caca podria ser que sempre els agrada tenir un mos a mà.

Dibuix d'un mico. Artista desconegut, c. 1777

UN FORAT MULTIÚS

La majoria d'animals mengen per la boca i fan caca pel culet. Però hi ha alguns animals que no en tenen de culet! Les anemones de mar i els seus parents les meduses, els coralls i les hidres només tenen un orifici a l'estómac. Quan han menjat i digerit els aliments, fent servir el forat com a boca, els excrements surten pel mateix forat. Per sort, no sembla que els importi massa el sabor!

Anemone de mar menjant-se un peix

PER QUÈ convivim AMB ANIMALS?

Per a nosaltres és totalment normal tenir mascotes o muntar a cavall. Però, per què estem tan units a altres espècies?

Els humans sempre hem utilitzat altres animals **per alimentar-nos**. Però a poc a poc vam començar a criar i **cuidar** animals per tenir més a mà la seva carn, la seva llana o els seus ous. També vam començar a criar cavalls per muntar-los, i gats i gossos com a amics servicials que atrapen ratolins o ens ajuden a caçar.

AMB QUIN →
animal t'agradaria fer-te un retrat?

Al principi eren animals salvatges, però amb el temps els humans van triar els que més els agradaven, com el gos més fidel o el cavall més ràpid. **Van criar** aquestes espècies perquè es multipliquessin. És el que s'anomena cria selectiva i funciona com una mena d'evolució. A la llarga, el resultat va ser que les mascotes i els animals de granja van canviar i **van ser domesticats**. Ens eren més útils i estaven més acostumats a viure amb nosaltres. Nosaltres també ens vam acostumar a ells, i ara les persones i els animals sovint convivim estretament.

Dama amb ermini. Leonardo da Vinci, 1489-1490

APOSTAR PEL CAVALL GUANYADOR...

A més de ser mascotes i animals de granja, els animals domèstics participen en diversos esports, com els cavalls, que fan competicions de salt, curses i doma, una espècie de ballet eqüestre. És increïble veure que bé que ho fan! Alguns animals, sobretot els cavalls i els gossos, són molt intel·ligents i poden ser ensinistrats per realitzar tasques i acrobàcies, seguint les instruccions dels seus genets o propietaris. De la mateixa manera, podem entrenar cavalls per a la policia muntada, gossos guia o gossos de rescat.

Cavall de doma andalús encabritat

PODRIA UNA OVELLA DE GRANJA SOBREVIURE EN EL MEDI NATURAL?

Probablement no! Les ovelles domèstiques van ser criades a partir d'ovelles salvatges fortes i valentes, amb banyes grans i peülles esmolades, i una habilitat increïble per escapar del perill grimpant pels penya-segats. Gràcies a la cria selectiva, els grangers van aconseguir que fossin més tranquil·les, petites i dòcils, i per tant també més fàcils de criar. Ara els costaria molt sobreviure en estat salvatge. Els grangers també van criar ovelles perquè fossin molt llanudes i així poder esquilar-les i utilitzar la llana per fabricar roba. Si ningú no les esquilés, les ovelles de granja passarien massa calor!

Ovella amb el cap entatxonat en una galleda

CADA GOS
AMB EL SEU OS

Un gos salsitxa rabassut, un terrier pelut i un ràpid i ferotge alsacià, tots són gossos domèstics. De fet, els tres són exactament de la mateixa espècie, encara que tinguin una aparença totalment diferent. La raó és la cria selectiva. Els humans van criar gossos a partir dels llops perquè fessin tot el que necessitaven: caçar, protegir les llars, arriar ovelles o ser mascotes adorables i afectuoses. Amb el pas del temps, els llops salvatges van donar lloc a les diferents races de gossos domèstics que tenim avui dia.

Gossos. L.F. Couché y J.F. Cazenave segons Vauthier, data desconeguda

TENEN MELIC les SERPS?

Si dibuixes una serp, un dinosaure, un ocell o un peix, no els pintis cap melic!

Per què no? Perquè el melic que tens a la panxa és **exclusiu dels mamífers**. La majoria de mamífers com els humans, els gats, els cavalls i els elefants **creixen dins dels cossos de les seves mares** abans de néixer. Perquè el fetus creixi, un òrgan anomenat **placenta l'alimenta** a través d'un tub que està connectat a la panxeta del bebè. Després del part, el cordó cau deixant en el seu lloc el melic, que en realitat és una mena de ferida.

NO tots els melics es poden veure

La majoria de serps i altres rèptils, ocells i peixos **ponen ous.** Però alguns, entre ells certes serps, neixen vius, igual que els humans. I de fet alguns, just després de néixer, tenen quelcom semblant a un melic, per on s'introduïen els aliments subministrats per la seva mare o el mateix ou. En general desapareix ràpidament, de manera que és difícil veure'l, si bé en el cas dels caimans sí que es pot. El melic del caiman és una zona amb escates més petites, que indica on estava connectat al seu ou.

Exemplar jove de caimà

LLUMS NOCTURNES VOLADORES

De nit, en zones humides i pantanoses, pot ser que vegis unes llums brillants que parpellegen per l'aire. Són les lluernes, un tipus d'escarabat. Els mascles volen i fan parpellejar la llum que tenen a la cua tot seguint un patró. Les femelles s'asseuen i observen, i parpellegen al seu torn si volen aparellar-se.

Els éssers vius que poden produir la seva pròpia llum s'anomenen «bioluminescents». Altres animals bioluminescents poden ser algunes espècies de tauró, calamar i centpeus.

Lluernes en un bosc del Japó

PER QUÈ ELS OUS TENEN FORMA D'OU?

Molts animals, especialment els ocells, tenen cries ponent ous. L'ou ha de protegir la cria abans que surti de la closca, i sovint els ocells s'asseuen a sobre dels seus ous per incubar-los. Normalment els ous dels ocells tenen una closca dura de forma ovalada i punxeguda, que els protegeix de dues maneres. En primer lloc, els fa més resistents per poder suportar el pes d'un ocell adult quan s'asseu. En segon lloc, si algun ou surt rodolant, la seva forma fa que rodi en cercles, i així és menys probable que es perdi.

Però no tots els ous tenen aquesta forma. Les tortugues ponen ous rodons i les mosques ponen ous en forma de salsitxa, per exemple.

Ous de somorgollaire, verderola i pardal de bardissa

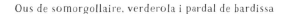

A BALLAR S'HA DIT!

Un dels espectacles més estrafolaris del regne animal és el ball del mascarell camablau, una espècie d'ocell marí. Els mascarells mascles i femelles fan un ball de festeig junts abans d'aparellar-se i tenir cries. Per executar aquest ritual de ball, apunten amb el bec cap amunt i es balancegen d'un costat a l'altre, mentre aixequen i mostren de manera alterna les seves boniques potes d'un blau llampant.

Molts altres animals també tenen rituals de festeig i aparellament per lluir els seus colors, la seva força o la seva grandària. Els que fan gala de les millors dots de seducció tenen més probabilitats de trobar xicot o xicota.

Mascarells camablaus enmig d'un ball de festeig

QUI VA decidir MUNYIR LES VAQUES?

Ningú no sap qui va ser el primer a munyir una vaca, ja que va succeir fa milers d'anys.

Els éssers humans sabien que les **mares humanes produïen llet** per als seus nadons, i van observar que els vedells també s'alimentaven de la llet de la seva mare. Llavors van decidir provar **d'utilitzar la llet de la vaca** com a aliment, potser en èpoques en què faltés menjar o com a aliment per als nadons humans. Més tard van començar a fer servir la llet per elaborar altres productes, com mantega i formatge. També criem cabres, ovelles i fins i tot iacs per aprofitar-ne la llet.

AQUEST vedell no vol compartir la llet!

Els humans no són l'única espècie que muny altres animals. Alguns tipus de formiga crien uns insectes més petits anomenats pugons, als quals protegeixen i alimenten. Després espremen delicadament els pugons perquè deixin anar un líquid clar i dolç, anomenat mel de melada, amb què s'alimenten les formigues.

Pastor munyint una vaca mentre la dona subjecta el vedell. Artista desconegut. *c.* 1690

Per què els animals es mengen els uns als altres?

Vés a la pàgina 24

PER QUÈ LES CRIES DE PINGÜÍ MENGEN VÒMIT?

Els pingüins emperador ponen els ous sobre el gel glaçat de l'Antàrtida, molt lluny del mar. Els mascles subjecten els ous entre les potes per incubar-los, mentre les femelles tornen al mar per alimentar-se de peixos. L'ou eclosiona quan la femella no hi és. Quan torna, alimenta el seu pollet amb peixos triturats que regurgita o vomita del seu estómac. Potser et sembla fastigós, però als pollets els és igual! És la millor manera que tenen de gaudir d'un bon àpat.

Pingüí emperador amb pollet

SOL DAVANT EL PERILL

No tots els animals alimenten les seves cries. Les mares mamífers els donen llet que treuen del propi cos i els ocells passen bona part del temps buscant menjar per als seus pollets. Però moltes cries d'animals s'han d'espavilar soles des que neixen. Els taurons, les papallones, les granotes i les iguanes, per exemple, es limiten a pondre els ous i els abandonen perquè eclosionin sols. Les cries s'han de buscar els aliments i protegir-se dels perills sense l'ajuda dels pares que els ensenyin com han de fer-ho.

Iguana sortint de l'ou

Els cucuts són ocells molt llestos que enganyen els altres ocells. En lloc de protegir els seus ous, el cucut femella pon un ou al niu d'un ocell «amfitrió», com una boscarla de canyar o un pardal de bardissa. Cada cucut té el seu tipus d'amfitrió preferit, i pon ous que s'assemblen als ous d'aquest ocell, mira si n'és de trampós! L'amfitrió es pensa que l'ou del cucut és seu i l'incuba. A més a més també alimenta el pollet de cucut quan surt de l'ou. I és així fins i tot quan el pollet de cucut és més gran que l'ocell amfitrió adult.

EL POLLET OKUPA!

Cucut al niu d'un altre ocell

PER QUÈ no puc VOLAR com un OCELL?

Els humans SEMPRE han volgut volar com els ocells. Però quan van provar de fabricar unes ales amb plomes i se les van lligar als braços amb una corretja, no va funcionar!

La raó és que els **ocells estan fets per volar**, i els humans no. Les ales d'un ocell volador són molt grans en comparació amb el seu cos per donar-li la màxima capacitat d'elevació. A més, els ossos dels ocells són buits en molts punts i això fa que els seus cossos siguin molt lleugers comparats amb la seva mida. Finalment, la caixa toràcica d'un ocell està coberta de músculs de vol grans i forts per controlar i impulsar les seves ales.

El nou Ícar. Jean-Jacques Grandville. 1840

OH, NO! Està volant o caient?

Els humans no tenim res d'això, així doncs mai no hem pogut aixecar el vol movent les ales. Ens hem hagut d'esprémer el cervell per inventar els avions. Naturalment, **algunes aus no poden volar**, com ara els pingüins, els estruços i el kakapo, un lloro de Nova Zelanda. Aquests ocells acostumen a pesar més i tenir unes ales petites.

COM HO FAN ELS COLIBRÍS PER «SOSTENIR-SE» EN L'AIRE?

Els colibrís són uns ocellets originaris d'Amèrica. Sorprenentment, poden quedar-se totalment immòbils en l'aire, com un helicòpter, per clavar el bec a les flors i beure el nèctar dolç que tenen a l'interior. Baten les ales molt de pressa per mantenir-se quiets, però com ho fan? El secret és que, quan un colibrí plana sobre una flor, les seves ales no només aletegen amunt i avall, sinó que ho fan dibuixant una figura de 8 posicions, és a dir que empenyen igual en totes direccions, i el cos de l'ocell es queda completament immòbil.

Fases del vol d'un colibrí

BZZZZZZZZZZZZZ!

De seguida saps quan hi ha una mosca, una abella o una vespa a l'habitació pel característic brunzit que produeixen. Si és un mosquit, en canvi, escoltaràs un so estrident i agut. Els insectes produeixen els brunzits quan baten les ales diverses vegades per segon. Les ales d'una mosca domèstica baten amunt i avall unes 200 vegades per segon, i això dóna lloc a un brunzit més esmorteït. Les ales d'un mosquit baten més de pressa, unes 600 vegades per segon. Com més ràpid és l'aleteig, més fort és el brunzit.

Seqüència d'una mosca aixecant el vol

Els únics animals que realment poden volar són els ocells, els insectes i els ratpenats, si bé pot ser que alguna vegada hagis vist altres animals passar volant, com ara serps, esquirols, granotes, llangardaixos i peixos. En realitat aquests animals són planadors. No poden aletejar cap amunt ni recórrer gaire distància volant, però poden estendre les seves aletes, peus, cossos i alerons de pell fina per realitzar breus trajectes lliscant per l'aire després d'envolar-se fent un gran salt. Alguns, com el petaure del sucre, poden recórrer fins a 200 metres planant.

Peix volador. J. W. Whimper, data desconeguda

QUÈ vol dir BUB-BUB?

IMAGINA'T que de sobte el teu gos et mirés i et digués «Anem a fer un volt!»

Els gossos **no poden parlar** com ho fan els humans. Com la majoria d'animals, els seus **colls i boques** no tenen ni la forma ni les parts adequades per emetre tots els sons que podem fer els humans.

Malgrat això, els gossos **poden** comunicar o **compartir informació** amb tu i entre ells. Sovint qui té un gos entén les seves **expressions facials**, que poden indicar que està excitat o espantat,

QUÈ creus que està provant de dir aquest gos?

Rita, l'alsaciana capaç de comptar

per exemple. Els gossos també fan servir els sorolls; **gemeguen, borden** o **grunyen** per dir coses com «Tinc gana», «Hola, qui ets?» o «No t'acostis!», i quan **remenen la cua** vol dir que estan contents.

Els gossos utilitzen mètodes similars per **comunicar-se entre ells** i mostrar que són amables, curiosos o que estan enfadats. I la majoria dels altres animals també tenen sistemes per «parlar» entre ells.

VINGA, AFANYA'T

UN BON BEC

Si hi ha un animal que pot expressar-se amb paraules és el lloro. En estat salvatge, viu en grups i aprèn a produir sons diferents copiant els altres lloros. Si el tens a casa com a mascota, un lloro farà el mateix i repetirà els sorolls que senti, com ara les persones parlant.

Els lloros tenen una llengua gran que poden moure i col·locar en diferents posicions per imitar els sons de les paraules dels humans. Però, entenen el que diuen? No sempre. Tanmateix, un lloro de nom Alex va aprendre el significat de 100 paraules i podia demanar les coses que volia: «L'Alex vol una galeta».

Lloro de clatell daurat parlant en un zoo

PODEN ENVIAR MISSATGES ELS ANIMALS?

Si necessites dir-li alguna cosa a algú que no tens a prop, li pots escriure una nota o enviar-li un missatge de text. Els animals no poden fer-ho, però sí que poden enviar senyals. Quan una formiga troba menjar, deixa un rastre de químics perfumats perquè les altres formigues el segueixin. Un tigre marca els límits del seu territori amb pipí i caca perquè els altres tigres captin el missatge i no s'acostin.

Formigues soldat deixant un rastre olfactiu

Les balenes són famoses perquè es canten les unes a les altres tot emetent xiscles, crits i grunyits. Les balenes geperudes mascle ho fan especialment bé i aixequen les aletes frontals quan volen començar a cantar. És difícil saber exactament què volen dir, però els científics creuen que les balenes mascle canten per atraure les femelles i aparellar-se amb elles. Probablement els seus cants signifiquen alguna cosa com ara: «Escooooolta quina veu més maaaaaca que tiiiiiinc! Seria un marit fantàaaaaastic!». Com que els sons poden recórrer una gran distància sota l'aigua, moltes femelles de la zona els podran escoltar.

Balena geperuda mascle cantant sota l'aigua

PODEN CANTAR LES BALENES?

S'OBLIDEN mai de les COSES ELS ELEFANTS?

Hi ha una frase feta que diu: «Tenir una memòria d'elefant». Però, és veritat que els elefants tenen una memòria tan prodigiosa?

Els elefants són uns animals molt intel·ligents i poden viure fins als 70 anys en estat salvatge. Per sobreviure, han d'aprendre i recordar coses, com ara els millors llocs on es pot trobar aigua potable durant l'estació seca. Els elefants viuen en grups familiars liderats per la femella més vella, anomenada la matriarca.

COM →

saben aquests elefants cap a on han d'anar?

Els científics han descobert que com més vella és la femella, més possibilitats té el seu grup de sobreviure. La raó és que ha après i se'n recorda de més coses útils.

Els elefants també poden recordar altres individus, siguin o no de la seva espècie. Coneixen tots els elefants del seu grup i també reconeixen i saluden els elefants que han vist abans. Passa el mateix amb els seus cuidadors i ensinistradors del zoo. Els elefants es posen contents quan veuen un cuidador o amo que ha estat amable amb ells en el passat, encara que faci molts anys que no l'han vist.

Grup d'elefants. Jan Caspar Philips, 1727

CLASSES PER SER HUMÀ

Gos aprenent a surfejar

Alguns animals poden ser ensinistrats per fer tasques força complexes i treballar al costat dels humans. Les mascotes es poden entrenar a casa i els lloros poden aprendre a dir paraules. Però l'exemple més increïble és un bonobo, o ximpanzé pigmeu, anomenat Kanzi. Va créixer en captivitat i ha adquirit diverses habilitats humanes. Pot reconèixer més de 200 paraules i fer-les sevir assenyalant símbols per a cada paraula. També pot fer foc, jugar a videojocs, picar pedra per fer estris, i fins i tot cuinar coses bàsiques!

Fins on sabem, els éssers humans som els animals més intel·ligents. Alguns altres animals estretament relacionats amb nosaltres, com els ximpanzés, també són molt llestos i tenen el cervell gran. Però hi ha diverses espècies que obtenen bons resultats en els tests d'intel·ligència i poden fer coses com resoldre trencaclosques o fabricar i fer servir estris. No tots són de la família dels simis, ni tan sols són tots mamífers. Entre ells hi ha els pops, els corbs, els dofins i les orques, els elefants, els gossos, els esquirols i els porcs.

SET-CIÈNCIES!

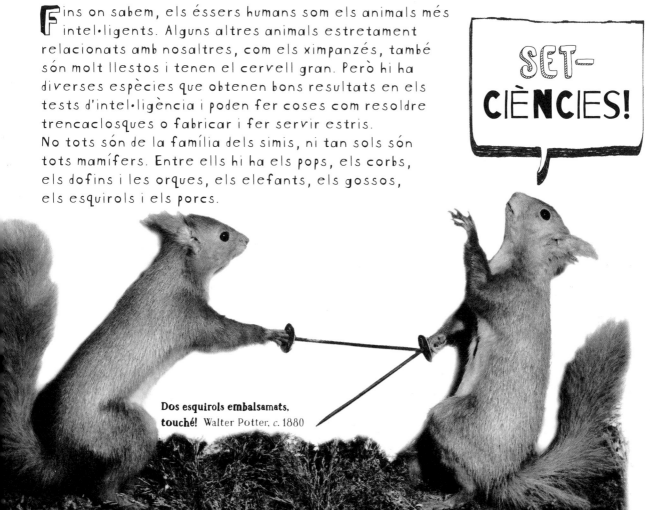

Dos esquirols embalsamats, touché! Walter Potter, c. 1880

S'ha observat que els animals inventen noves maneres de fer les coses. Al Japó, una femella de macaco (una espècie de mico) va començar a submergir les patates silvestres al mar, ja que l'aigua salada els donava més bon gust. Tots els altres la van imitar! Un grup de dofins va inventar una manera de protegir els seus musells dels esmolats coralls quan caçaven fent servir esponges de mar que mossegaven amb la boca. I alguns corbs han descobert la manera de llençar molles de pa a l'aigua per atraure els peixos i així poder atrapar-los i menjar-se'ls.

Macaco netejant una patata

PODEN INVENTAR-SE COSES ELS ANIMALS?

GLOSSARI

amenaçat: en perill de morir i extingir-se. Molts animals salvatges estan ara amenaçats.

asteroide: objecte espacial rocallós que orbita al voltant del sol.

bacteris: grup d'éssers vius unicel·lulars minúsculs.

bioluminescència: llum que emeten alguns éssers vius com ara insectes, peixos i calamars.

brànquies: òrgans respiratoris dels peixos i alguns amfibis. Funcionen extraient oxigen de l'aigua.

cadena alimentària: seqüència d'organismes vius en què cadascun és menjat pel següent a la cadena.

calories: unitats utilitzades per mesurar l'energia, especialment la quantitat d'energia dels aliments.

camuflatge: patrons o colors que ajuden un ésser viu a amagar-se confonent-se amb el seu entorn.

carnívor: animal que s'alimenta d'altres animals.

cria selectiva: selecció i criança d'un grup particular d'éssers vius per les seves valuoses característiques (es facilita la seva reproducció). Els ramaders l'utilitzen per fer que les espècies salvatges siguin més adequades per a la cria.

depredador: animal que caça i es menja altres animals.

domesticació: amansir i criar animals per tenir-los com a mascotes o animals de granja.

ecolocalització: detectar objectes i percebre l'entorn emetent un so i escoltant els ecos que reboten. Els ratpenats i els dofins fan servir l'ecolocalització.

ecosistema: hàbitat i éssers vius que hi viuen. Les criatures que hi ha dins d'un ecosistema interaccionen i depenen les unes de les altres per sobreviure.

espècie: tipus individual d'ésser viu. Els animals de la mateixa espècie poden reproduir-se i tenir cries que també pertanyen a aquesta mateixa espècie.

evolució: una sèrie de canvis en els éssers vius que permeten que les espècies s'adaptin al seu entorn i que les noves espècies es desenvolupin.

extingit: que ja no existeix. Quan una espècie s'ha extingit vol dir que no queda cap membre d'aquesta espècie viu.

hàbitat: el lloc o entorn natural d'un ésser viu. Els animals estan ben adaptats per sobreviure en els seus hàbitats naturals.

herbívor: animal que s'alimenta de plantes.

hibernar: passar l'hivern en un estat de letargia per estalviar energia. Alguns animals hibernants no mengen durant diversos mesos.

instint: conducta automàtica i innata d'un animal, que no se li ha d'ensenyar. Per exemple, molts ocells tenen l'instint de construir un niu per als seus ous.

invertebrat: animal que no té columna vertebral, com un cuc, un pop o un insecte.

mineral: substància pura, inorgànica, que es troba en la natura, com ara ferro, diamant, sal o quars.

nèctar: líquid dolç produït dins de les flors per atraure els insectes.

nínxol: una funció o manera particular de sobreviure dins d'un ecosistema. Totes les espècies animals evolucionen per omplir un nínxol.

nocturn: actiu especialment durant la nit. Els animals nocturns descansen o dormen durant el dia.

omnívor: animal que s'alimenta d'una varietat d'aliments, incloses plantes i altres animals.

oxigen: gas que es troba a l'aire i a l'aigua i que els animals necessiten respirar per sobreviure. Les cèl·lules corporals dels animals utilitzen l'oxigen per convertir els aliments en energia.

paralitzar: impedir que un ésser viu mogui el cos.

plàncton: barreja de diferents tipus de plantes i animals diminuts que suren a l'aigua. Generalment el plàncton serveix d'aliment per als animals aquàtics com els peixos i les balenes.

prehistòric: de l'època anterior a la primera vegada que es parla d'història. Entre els animals prehistòrics hi ha els dinosaures i els felins de dents de sabre.

presa: animal caçat i menjat per un altre animal.

queratina: substància que es troba al cos de molts animals. Serveix per desenvolupar parts del cos com el cabell, les ungles, les urpes, les plomes i les peülles.

regurgitar: tornar a la boca els aliments ingerits. Alguns animals ho fan per alimentar les seves cries.

retina: capa de cèl·lules de l'interior del globus ocular que pot detectar la llum i enviar informació al cervell.

vapor d'aigua: aigua en forma de gas. Es troba a l'aire i a l'alè que desprenen els animals.

verí: substància tòxica o dolorosa que injecta un animal a la seva presa o a un enemic, per exemple quan el mossega o el pica. Moltes serps, aranyes i escorpins són verinosos.

vertebrat: animal que té columna vertebral, como un peix, un ocell o un humà.

ÍNDEX ALFABÈTIC

abella 15, 19, 41, 82
ales 11, 54, 80-83
amenaçat 23
amfibi 7, 39
anemone 67
aranya 7, 24-25, 50
bacteri 26, 40, 66
balena 11, 38, 87
banya 55, 70
brànquies 29, 36-37, 39
caca 64-67, 86
cadena alimentària 27
camaleó 44-45
camuflatge 44-47, 54
cangur 18
carnívor 24
carronyaire 30
cavall 7, 42, 68-70
cobra 32-33
cocodril 7, 31, 41, 50
colibrí 82
conill 30, 40
corb 90
cua 16-17
cuc 14, 54
cucut 79
depredadors 28
dinosaure 20-22
dofí 39, 90
ecolocalització 49
ecosistema 14-15,
elefant 7, 25, 88-89, 90
empolainament 42
energia 27, 45, 58-59
escata 54
espiracle 39
esquirol volador 18
estruç 10
evolució 12-19, 47, 69
extingit 20, 23
falciot 59
floridura 26
formiga 15
fòssil 22
gat 7, 10, 42-43, 59, 68
gat salvatge 43
germen 65

girafa 19
goril·la 7, 10, 67
gos 7, 42, 70-71, 84-85, 90
granota 7, 35, 39, 78
granota punta de fletxa 35
gripau 7, 39
guepard 10
hàbitat 12, 20
herbívor 24
hibernar 58
Homo sapiens 8, 11
iguana 78
insecte 6, 7, 14, 15, 77, 83
insecte bastó 47
instint 25, 59
invertebrat 7
llagosta 10
llangardaix 12-13, 50
lleó 10, 31, 43
lleó marí 50
lleopard 43
llet 76
llimac 7, 54
llop 50
lloro 86, 91
lluerna 74
malaltia 15
mamífer 7, 23, 52, 72, 78, 90
mascarell camablau 75
medusa 7, 34, 47, 67
melic 72-73
mico 7, 42, 90,
migració 60-63
mineral 6, 22
mosca 66, 74
mosquit 14-15, 82
mussol 56-57
nèctar 41
nocturn 56-59
nom en llatí 8-11
ocell 41, 54, 59, 62-63, 65,
   74-75, 79, 80-83
omnívor 24
orangutan 7
ós 58
ovella 70
oxigen 36-37, 39

panda 11
panerola 10
papallona 41, 60-61, 78
peix 7, 36-39, 83
pèl 52-55
pell 54
petaure del sucre 18
picada 34-35
pingüí 78
plàncton 47
ploma 54, 80-83
poll 42, 52
pol·len 14, 19
pop 7, 46, 90
prehistòric 20
presa 28, 30,
puça 42, 52
pugó 77
pulmons 36, 39
rata 13, 18, 41
ratpenat 48-49, 83
rèptil 7, 12-13, 50
rinoceront 55, 65
serp 7, 32-33, 54, 72
simi 7, 42
tapir 11
tauró 28-29, 41, 51, 78
tigre 10, 23, 30-31, 40
tortuga 62,-63, 74
tortuga llaüt 62-63
triops 50
vaca 76-77
vegà 24
verí 32-35,
vertebrat 7
vespa 82
volador 11, 59, 80-83
voltor 30
xatrac àrtic 63
ximpanzé 7, 10, 42, 67, 90-91

LLISTA D'IL·LUSTRACIONS

6-7 Shutterstock 6 © Corey A. Ford/Dreamstime.com

7b USO/iStock

9 CSIRO

10 Ploucquet de Stuttgart a partir d'un daguerreotip de Claudet

11a fototrav/iStock

11b Dibuix de Dave Bezzina

13 Dopeyden/istock

14 Biosphoto/Claudius Thiriet/Diomedia

15a Biosphoto/Roger Eritja/Diomedia

15b mashuk/iStock

17 Rijksmuseum, Àmsterdam

18a © FLPA/S & D & K Maslow/age fotostock

18b © Mc Donald Wildlife Ph/age fotostock

19a Rijksmuseum, Àmsterdam

19b Clare Havill/Alamy Stock Photo

21 DeAgostini/Diomedia

22 alice-photo/iStock

23a imageBROKER/REX/Shutterstock

23b imageBROKER/REX/Shutterstock

26 Rijksmuseum, Àmsterdam

27a Dibuix de Dave Bezzina

27b koi88/iStock

29 © David Jenkins/age fotostock

30a Ben Cooper/Superstock

30b paulafrench/iStock

31 © Victoria and Albert Museum, Londres

33 Shutterstock

34 Universal images group/Superstock

35a Wellcome Library, Londres

35b Ingram publishing/Diomedia

37 Shutterstock

39b Wellcome Library, Londres

38 Bill Curtsinger/National Geographic Creative

40-41 Mark Deeble and Victoria Stone/Getty images

42a Rijksmuseum, Àmsterdam

43 axelbueckert/iStock

44-45 Avalon/Picture Nature/Alamy Stock Photo

46 imageBROKER RM/Norbert Probst/Diomedia

47a Pete Oxford/Minden Pictures/Getty images

47b Biosphoto/Michel Gunther/Diomedia

48-49 DeAgostini/Diomedia

50a Fotografia de Leonard Lee Rue III

50b UIG Education/Encyclopaedia Britannica/Diomedia

51 Biosphoto/Jeffrey Rotman/Diomedia

53 Wellcome Library, Londres

54-55 Shutterstock

54a Rijksmuseum, Àmsterdam

54b wasantistock/iStock

55 Rijksmuseum, Àmsterdam

57 kuri2341/iStock

59a Andrew_Howe/iStock

59b Rijksmuseum, Àmsterdam

58 blickwinkel/Alamy Stock Photo

61 Richard Ellis/Getty images

62-63 NASA

63a Superstock RM/Diomedia

63b SuperStock RM/SCUBAZOO/Diomedia

65 bazilfoto/iStock

66 FourOaks/iStock

67a Rijksmuseum, Àmsterdam

67b Paulo Oliveira/Alamy Stock Photo

70a Life on White/Getty images

70b Design Pics Inc/REX/Shutterstock

71 Wellcome Library, Londres

73 Red Circle Images/Diomedia

74a Kazushi_Inagaki/iStock

74b Col·lecció George Arents, Biblioteca Pública de Nova York

75 Specialist Stock RM/Michael Nolan/Diomedia

76-77 British Library, Londres/Diomedia

78a LOOK/Konrad Wothe

78b Picture Library/REX/Shutterstock

79 duncan1890/iStock

80-81 Shutterstock

81 Heritage Images/Fine Art Images/Diomedia

82a SuperStock RF/Stock Connection/Diomedia

82b Stephen Dalton/Minden Pictures/Getty images

83 Wellcome Library, Londres

86a Fototeca David Tipling/Alamy Stock Photo

86b LatitudeStock/Alamy Stock Photo

87 Cultura RM/Alamy Stock Photo

89 Museu d'Art de Cincinnati, Ohio, Estats Units, donació del Sr. i la Sra. Charles Fleischmann en record de JuliusFleischmann/Bridgeman Images

90a Zuma press/Diomedia

91 Cyril Ruoso/Minden Pictures/Getty images

Publicat amb l'acord de Thames & Hudson Ltd, Londres
Why Don't Fish Drown? © 2017 Thames & Hudson Ltd,
Londres

Primera edició en català publicada el 2017 per
Librooks Barcelona, S.L.

© D'aquesta edició:
LIBROOKS BARCELONA, S.L.
Riego 13 - 08014 Barcelona
Tel. +34 930 110 110
info@librooks.es
www.librooks.es

© De la traducció: Ester Gómez Cirera

Textos de Susie Hodge
Il·lustracions originals de Claire Goble

ISBN: 978-84-946668-6-5
Dipòsit legal: DL B 9703-2017